CARLITO NETO

FALANDO DE POLÍTICA SEM POLITIQUÊS

KOTTER
EDITORIAL

Copyright © Carlito Neto 2020

Direitos reservados e protegidos pela lei 9.610 de 19.02.1998.
É proibida a reprodução total ou parcial sem autorização, por escrito, da editora.

Coordenação editorial: Sálvio Nienkötter
Editor-executivo: Daniel Osiecki
Editor-adjunto: Raul K. Souza
Editora-assistente: Isadora M. Castro Custódio
Capa e projeto gráfico: Carlos Garcia Fernandes
Produção: Cristiane Nienkötter
Preparação de originais e revisão: o Autor

Dados Internacionais de Catalogação na Publicação (CIP)
Angelica Ilacqua CRB-8/7057

Neto, Carlito
   Falando de política sem politiquês / Carlito Neto. -- Curitiba : Kotter Editorial, 2020.
   136 p.

ISBN 978-65-86526-25-7

1. Ciência política I. Título

CDD 320

20-2476

Kotter Editorial Ltda.
Rua das Cerejeiras, 194
CEP: 82700-510 - Curitiba - PR
Tel. + 55(41) 3585-5161
www.kotter.com.br | contato@kotter.com.br

Feito o depósito legal
1ª Edição
2020

CARLITO NETO

FALANDO DE POLÍTICA SEM POLITIQUÊS

Prefácio

Há muitos meios para se dominar uma população. Meios diretos, como a coerção e a violência, métodos caros a regimes repressivos, mas também há meios indiretos e sutis: como a indução à ignorância, por exemplo.

Nada é tão útil nas mãos de governantes inescrupulosos quanto uma vasta massa de eleitores que desconhece o seu papel cívico. Ao observarmos a História, o que vemos é justamente este embate entre sistemas e instituições inclusivos e excludentes.

De fato, há sistemas que visam privilegiar uma elite política e econômica, a cujos interesses servem e há sistemas inclusivos, que almejam a dissolução do poder entre os muitos agentes participantes deste jogo político e, preferencialmente, também se movimentam para uma redução da desigualdade e de suas contradições.

O desconhecimento das regras do processo democrático faz parte destes meios indiretos de dominação. Cidadãos despreparados para votar conscientemente ou que desconfiam da política, julgando que todos os representantes são igualmente ladrões, sempre formaram um prato cheio para esta manipulação que se dá no interior das democracias representativas.

A ascensão, em nossos tempos, de governantes populistas resulta dessa descrença ao mesmo tempo que a reforça. Apesar de parecer um contrassenso, diante da crise das democracias liberais, em vez de os cidadãos exigirem mais democracia e transparência, este espírito de aversão à política os leva no sentido contrário — de menos democracia, de confiar num governante que se apresente como um braço forte e que expresse "a voz do povo", e que nos lidere rumo a um lugar melhor. Vale aí a máxima adaptada da dialética hegeliana de que na política as coisas se dão na contradição.

Segundo o cientista político holandês Cas Mudde, uma referência nos estudos sobre partidos e governos de extrema-direita na Europa e no mundo ocidental, a base do populismo é justamente este embate de "nós contra eles", é dizer, o líder populista se traveste de representante dos interesses da população contra uma elite corrompida e que desde sempre tira o pão da boca do trabalhador mais pobre, mas, uma vez alçado ao poder, este mesmo líder populista é o primeiro a abandonar seus supostos ideais de defesa das classes populares e imediatamente adota as mesmas práticas da elite que ele jurava enfrentar.

Compreender a dinâmica do poder também nos ajuda a revelar esta interminável disputa pelos postos de liderança, mas também, senão principalmente, pelo direito de contar a sua versão dos fatos, pois governar também é atuar pela conquista de mentes e corações, bem como para se manter o máximo possível no topo.

Em regimes autoritários isto é muito mais evidente do que em democracias, tendo em vista que certos autocratas se sustentam décadas sentados no trono, muitas vezes às custas de brutal opressão de seus compatriotas; por outro lado, nas democracias isto é igualmente válido: embora presidentes e primeiros-ministros permaneçam por bem menos tempo no poder, existe todo um jogo explícito de controle partidário e que é perpassado, sem dúvida alguma, por esta noção de controle das ideias. A rotatividade entre generais na presidência no período da ditadura brasileira é uma espécie de caricatura disso, já que o núcleo de poder real não mudava de mãos.

Alguns partidos buscam apoio de empresários e industriais, outros das massas populares de trabalhadores, outros apelam para a classe média, outros costuram complexas e contraditórias coalizões, outros apelam para a moralidade religiosa, outros se propõem como antissistêmicos, e assim por diante. Tudo disputas pelo poder, é claro, assim como pelas ideias que deverão orientar determinada sociedade.

Desde há muito que existe uma crença entre os brasileiros de que política não se discute, que entra e sai governante e que nada muda, ou, se muda, é sempre para pior.

Existe uma desconfiança generalizada em relação a políticos e partidos, mas, mais do que isto, em relação à própria Política, com P maiúsculo.

Esta negação do fazer político — fazer este inerente a qualquer indivíduo em qualquer nação, mesmo em regimes autoritários, pois a submissão também é submeter-se às regras do jogo — mais prejudica do que favorece os cidadãos, e se revela uma oportunidade nas mãos daqueles que a exploram em benefício próprio.

É muito conveniente para certos políticos que as pessoas simplesmente optem por se eximirem de pensar e atuar politicamente, de modo a transferir a outros — via de regra a estes próprios representantes não mais vistos como meros funcionários do povo temporariamente ocupando postos de poder, mas como autoridades inquestionáveis e todo-poderosas — a responsabilidade pelos rumos de uma nação.

Um povo que não se importa com a política acaba se tornando vítima dela.

É por isto que o trabalho de muitos acadêmicos, professores e influenciadores digitais, como é o caso de Carlito Neto tanto em seu canal no Youtube quanto com o lançamento deste livro, acaba sendo de vital importância nestes nossos dias. Com uma linguagem de fácil compreensão, estes profissionais estão se esforçando para enriquecerem a compreensão de brasileiros jovens e adultos, muitos deles que pela primeira vez começam a se interessar por tais questões.

E esta é a primeira grande barreira a ser superada. Ser compreendido. Falar de maneira clara e objetiva, sem jargões ou conceitos difusos e abstratos que ofuscam o entendimento mesmo de estudantes universitários.

O fato é que, de acordo com um relatório publicado pela OCDE em 2019, apenas 21% dos brasileiros entre 25 e 34 anos possuem ensino superior completo, enquanto apenas 0,8% daqueles entre 25 e 64 anos têm mestrado. Isto significa que, para uma vasta maioria da população do Brasil, a linguagem e os conceitos adotados pelo ambiente acadêmico não apenas são desconhecidos, mas às vezes são totalmente inacessíveis.

Justamente por isto que esta tomada de decisão, e que por si só também é bastante política, de criar pontes de comunicação entre debates que se dão no interior dos muros de universidades e estendê-las até o mundo real de pessoas reais esmagadas por um sistema excludente e que constantemente investe contra elas com o intuito concreto de vetar o acesso a tal espécie de discussões, é bastante louvável.

Aliás, o próprio acesso a livros e o desenvolvimento da capacidade de concentração para lê-los também são, por si só, outro fator de exclusão num país no qual em muitos lares nem sequer há livros ou nem se estimula o hábito de leitura.

Tudo isto deveria pertencer a este processo de construção da cidadania, do papel que cada um de nós exerce nas sociedades nas quais vivemos. Atos e omissões, revolta e complacência, compactuar e denunciar, tudo isto faz parte do jogo político e que, assim como em outros jogos, possui suas regras e, quanto mais praticamos, melhor nos saímos nele.

Há quem queira monopolizar o conhecimento, e isto faz parte da dominação através da imposição da ignorância aos demais, e há quem queira compartilhar o conhecimento e, mediante este ato, dar a sua pequena contribuição para o bem comum.

Carlito Neto é uma destas personalidades generosas que, seja em sala de aula ou através de vídeos na internet, faz do conhecimento a sua arma contra a arbitrariedade, contra os abusos e, acima de tudo, contra este mecanismo que lucra e prospera perpetuando a ignorância.

Não existe um caminho fácil e indolor para abandonar as trevas do não-saber. É um empreendimento individual, portanto, antes de tudo parte de nós mesmos darmos este primeiro passo, mas também pertence a uma esfera coletiva. Precisamos de quem nos guie neste trajeto, mas ninguém pode percorrê-lo por nós. Nem sempre o que vamos descobrir vai nos apaziguar, aliás, pelo contrário, pois conhecer é se inquietar e muitas vezes se angustiar e até indignar-se, pois falamos de forças que estão muito além do controle de um único indivíduo, mas, sem o conhecimento e a compreensão, nada mais há a ser feito.

Henry Bugalho
Alicante, julho de 2020

Sumário

21 Reflexões primeiras

25 I - Questões subjetivas: voo histórico, pensamentos e pensadores

27 Democracia e Pensamento

33 Política e democracia

41 A longa Idade Média entra em cena

45 A nova ordem, a burguesa, passa a se anunciar

51 O alvorecer dos ideais pactualistas

67	II - Questões objetivas na política
69	Dois dedos de prosa pra começar
71	O que é Democracia?
75	Democracia Direta e Democracia Representativa
75	Democracia direta
76	Democracia representativa
79	Nicolau Maquiavel – O Pai da Ciência Política Moderna
85	A Teoria da Tripartição dos Poderes
89	Poder Executivo
90	Poder Legislativo
91	Poder Judiciário
93	Formas e Sistemas de Governo
95	Monarquia
96	Teocracia
98	República
100	República parlamentarista
101	República presidencialista
102	República Semipresidencialista

105	Partidos e Políticos
105	O que é um partido político?
107	Como é formado um partido político?
109	Quem pode ser político no Brasil?
111	Qual a idade mínima de cada cargo?
113	Estrangeiro pode ser político no Brasil?
116	Quem pode votar no Brasil?
117	Estrangeiros podem votar no Brasil?
118	Quem não pode votar no Brasil?
119	Sistemas Eleitorais
121	Sistema Majoritário
123	Sistema Proporcional
128	Voto na Legenda e Voto Nominal
129	Eleições municipais
130	Eleições Estaduais e Nacional
133	Uma palavra mais

Reflexões primeiras

Por Carlito Neto

Precisamos, como cidadãos, mas principalmente como sociedade, de uma maior diversidade de pessoas e segmentos atuando na política.

É preciso mais gente que atue em prol e represente ideologias diversas, grupos e minorias sociais e que busquem fazer o melhor na política, e menos políticos que se elegem por meio de Lobbies e que, por isso, acabam legislando e governando em nome e exclusivamente a favor dos patrocinadores desses lobbies.

Que tenhamos mais mulheres na política e mais negros também, pois apesar de ambos serem maioria na sociedade, ainda são minorias nas casas legislativas.

Afinal, a lei 9504/1997 determina que se tenha ao menos 30% de candidatos de cada um dos sexos e no máximo 70%.

Hoje no Congresso as mulheres representam apenas 15% dos 513 deputados: são 77 deputadas mulheres.

Negros também ocupam muito pouco espaço nas casas legislativas no congresso e, apesar de serem a maioria de nós, apenas 17% dos deputados(as) são negros.

Ainda que não tenhamos números consolidados e consensuais a respeito do percentual de LGBTQIA+ na população, podemos afirmar que é flagrante a disparidade na sua representação congressual. Essas e as demais minorias, assim como o verdadeiro povo brasileiro, precisam tanto atuar quanto se fazer representar.

Na primeira parte deste livro faremos um voo sobre a história dos Estados e da democracia que foram formadores nossos, para que melhor entendamos como chegamos até aqui e como devemos encaminhar o futuro do país para que a nação seja realmente respeitada e atendida nos seus direitos, em lugar de ser explorada, como tem sido a realidade nossa, ora mais, ora menos.

Vale destacar que nesta primeira parte, apesar do nosso compromisso de falarmos de forma direta, procuramos ser simples sim, mas evitando o indesejável simplismo. Afinal, a audiência que tem nos acompanhado é muito qualificada, e seria um atentado contra a inteligência dela qualquer simplificação rasa. Evitamos, sim, o academicismo e o empolamento descabido, até porque ele é infrutífero.

Enquanto a primeira parte é mais geral, destinada a todos os cidadãos, a segunda parte deste livro é composta de um viés dedicado a esclarecer as dúvidas mais comuns a quem quer participar do processo, seja como candidato, seja como cidadão atuante e que vota consciente.

Procurei ser o mais conciso no texto, e recomendei à editora um formato pequeno no livro, para que seja o mais acessível à maior parte de todos os interessados.

Boa leitura!

I
Questões subjetivas: voo histórico, pensamentos e pensadores

Democracia e Pensamento

Há anos que a *política* vem sendo foco central no interesse da maioria dos brasileiros, um interesse que só se tem avolumado. Tivemos alguns fatos de desequilíbrio maior em 2013. Depois de arrefecer um pouco, de 2016 pra cá esse desequilíbrio e intensa polarização entrou em verdadeira espiral: uma perigosíssima espiral.

Ora assistimos a esses perigosos passos em plena pandemia, momento em que a ameaça de um vírus mortal ronda de muito perto a todas e todos. Mesmo assim permanecemos de olhos tesos nos acontecimentos políticos no país, nas disputas diárias que são travadas e que têm sido destaque em todas as manchetes.

Na verdade a política se fez importante desde o seu início, desde as primeiras organizações sociais, os "γένος" <genos> apontados por Heródoto, o primeiro historiador que existiu. A importância da política é central a ponto de a prática política ser colocada por Aristóteles, como veremos à frente, como a mais nobre das atividades humanas, principalmente por visar o bem comum e não o bem individual.

*

Voltando a nosso tempo, o estado de interesse geral pela política tem sido tal, que permitiu ao grupo humorístico *Porta dos Fundos*, no esquete *Lulonaro*, colocar uma dupla de amigos em uma mesa de bar sendo intimada a deixar o local. O motivo? A mesa que ocupavam era a única em que o assunto não era a política. Isso poderia sequer ser compreendido em outras épocas, mas hoje faz todo o sentido.

A disputa ideológica em curso é real. E é essa disputa que reforça a importância de eu me pôr aqui a tentar descrever pra você, da maneira mais direta possível, as bases desse assunto, visando enriquecer nosso entendimento e aprofundar as discussões que, por certo, você vem travando.

A peste que enfrentamos [pandemia é apenas um cientificismo atenuante] acaba por evidenciar o papel decisivo, vital mesmo, que as diretrizes e decisões tomadas na esfera política têm nas nossas vidas e no nosso dia a dia, inclusive no nosso direito de ir e vir e no nosso direito à vida mesma.

Emergem hoje questões do campo da política que nos dizem respeito muito direto, como: Quem será o próximo ministro da saúde? E o da educação? O que farão? Haverá auxílio emergencial? Artistas também merecem receber? O ENEM será mantido? Prisões em regime fechado serão flexibilizadas?

São questões que surgem por nos afligirem nesses tempos de ameaça à vida nossa e de nossos amigos e parentes. As respostas a essas questões acabam por confirmar Aristóteles, filósofo da Grécia antiga que, como dissemos acima, já havia observado há mais de dois mil anos em sua *Ética a Nicômaco* que a política é a atividade mestra, que ocupa o topo da hierarquia das atividades, ciências e técnicas, porque cabe a ela determinar até que ponto e em que medida serão exercidas todas as outras, da medicina à cultura, da economia ao direito penal e à educação.

Por isso, caro amigo, peço que percorra essas páginas com atenção.

A democracia depende do aprofundamento da compreensão de todos nós. Aqui vamos falar de política, mas acima de tudo vamos tentar expor as balizas nas quais está assentado o Estado e os poderes que nele atuam.

Como nos incomodamos menos com o que segue seu curso dentro da normalidade, reservando nossas preocupações para o que representa ameaça ou perigo, aproveitemos as preocupações atuais para robustecer nossos conhecimentos e com isso fazermos melhor o que nos toca na reconstrução que se faz necessária no porvir tão próximo.

Política e democracia

Faremos agora preliminarmente um voo sobre a história, buscando analisar as razões que geraram as rupturas que nos trouxeram ao atual estado de coisas. Para tanto a nossa promessa de leveza pode ficar ligeiramente comprometida, já que a concisão exigida pode nos obrigar a empregar termos técnicos dos quais preferiríamos nos manter afastados.

O eventual pequeno esforço, contudo, será compensador porque, para entendermos melhor a política, importa rememorarmos juntos como tudo se deu até aqui para que a nossa realidade hoje seja essa e para que a percebamos como natural.

*

Uma boa maneira de tratar de um assunto é começando pelo seu nome. "Política" remonta à palavra "πολιτική" <politikê> em grego antigo, e designa o que concerne à cidade – que em grego antigo se chama "πόλις" <pólis>. Notemos que as cidades, na Grécia antiga, constituíam-se em unidades administrativas autônomas e independentes, sem relação de subordinação hierárquica com alguma instância social ou estatal superior. Elas são hoje chamadas, por isso, de "cidades-Estado".

Assim, a função que atualmente reputamos ao Estado, enquanto autoridade soberana organizada em um país, era na Grécia antiga exercida no interior das cidades. É por isso que a significação da palavra política não se limita a fazer referência à vida de uma cidade como entendemos hoje, mas designa a atividade e a administração da organização econômica e social por excelência.

Nesse organismo social independente, entre outros, viviam os cidadãos, e estes tomavam parte das decisões sobre os rumos da vida social. Cidadão era aquele que por direito e dever tomava parte nas decisões da vida social.

Nos nossos dias essas decisões não estão restritas às cidades, mas estendem-se também às instâncias superiores do Estado Federativo e da Federação em si.

Trata-se de um sistema complexo que mantém as áreas de alçada relativamente cambiantes, o que não raras vezes gera conflitos quanto aos deveres, responsabilidades e direitos à fatia dos recolhimentos públicos das instâncias municipais, estaduais e federal.

Recentemente mesmo vimos uma disputa acérrima entre o governo federal, estados e municípios quanto à autonomia de decisão relativa à abertura ou fechamento para prevenção do covid-19 tanto quanto do comércio como do acesso rodoviário e aéreo aos estados e cidades. Foi preciso entrar em ação o poder moderador do STF para resolver, que o fez em favor dos estados e municípios.

No momento histórico que descrevíamos, as cidades-Estado gregas nos períodos de democracia organizavam-se sob o que hoje chamamos de "democracia direta", por oposição ao nosso modelo atual de "democracia representativa", no qual não votamos nas leis, mas sim elegemos aqueles que irão votar em nosso lugar, que irão, portanto, nos representar. Sobre este modelo, falaremos mais adiante.

Nas democracias diretas não há a figura do representante eleito ou delegado. As decisões são tomadas na ágora (na reunião pública), por meio da participação direta de todos os cidadãos. Esse modelo era viabilizado também porque na Grécia antiga o número de cidadãos era muito menos expressivo, já que para boa parte da população das cidades, como mulheres e pessoas escravizadas, era vetada a cidadania. Em tópico específico mais à frente detalharemos melhor quem era vetado de cidadania nessa democracia ainda em berço.

Realmente, essa democracia nascente apresentava dificuldades. Diversas obras de pensadores gregos podem ser lidas como testemunhos das aporias que aquela democracia direta suscitava. Como, por exemplo, a inexorável vitória das maiorias, que frequentemente asfixiava demandas legítimas das minorias, muitas vezes chegando a ameaçar a existência mesma dessas minorias.

Por outro lado, o risco de que as maiorias fossem manipuladas por ardis retóricos a serviço de interesses espúrios dos mais poderosos, é tema recorrente em diálogos de Platão, como a *Política*, *Górgias* e *O Político*, dos quais recomendamos fortemente a leitura.

Isso nos auxilia a compreender as críticas de Platão à democracia, e suas razões para sustentar a tese elitista de que o exercício da política, vale dizer, da cidadania, deveria ser prerrogativa dos mais sábios. Aliás, Aristóteles, que foi aluno de Platão, acompanhou seu mestre nessa conclusão, considerando que o exercício da atividade política deve ser reservado ao sábio, a saber, ao filósofo.

Como sabemos, a península grega foi posteriormente dominada pelo império romano, o que ensejou um intenso intercâmbio cultural entre dominados e dominadores, com forte influência da cultura dos dominados gregos sobre o pensamento dos dominadores romanos.

A expressiva produção literária, como as tragédias e comédias, amplamente estudadas e revisitadas até hoje, e a fecunda e não menos copiosa produção de filósofos e investigadores da natureza impactaram a vida intelectual daquele império, ganhando nova roupagem sob o novo manto latino.

Posteriormente, mas também paralelamente a esse processo, houve a cristianização do domínio romano, consolidada no período de Constantino, e enfim a derrocada do império romano, por força das chamadas invasões bárbaras, todos fatores decisivos para entendermos o que veio depois e o que nos trouxe ao que somos hoje.

É de interesse a repercussão das críticas dos filósofos gregos antigos a respeito da democracia no pensamento dos filósofos cristãos posteriores.

A longa Idade Média entra em cena

Sem desconsiderar a efervescência e a diversidade das correntes de pensamento que emergiram em um período tão longo como foi a Idade Média, algo como mil anos, para não perder nosso foco, convém nos atermos aqui ao pensamento preponderante, alinhado com o que passou a ser a forma de organização social prevalente nessa época.

Gradativamente foi ganhando força a ideia da necessidade de um governante sábio, a quem caberia conduzir com competência todo o corpo social. Isso em contraste com o pretensamente falido modelo democrático, refém da mediocridade que seria inerente às massas.

Para coroar esse modelo, e consolidá-lo definitivamente, veio o auxílio luxuoso da bênção cristã, com a ideia de que o corpo social deveria se organizar sob uma hierarquia de inspiração cristã, no topo da qual reinava um Deus único. Um testemunho desse modelo é a obra *Cidade de Deus*, de Santo Agostinho, considerada por muitos uma releitura, agora em orientação cristã, da *República* de Platão.

Na realidade, toda essa doutrina culminou por dar suporte à crença no poder divino dos reis. Visto que todos somos fadados a pecar, a cidade de Deus funciona como ideal regulador, a indicar as falhas que é preciso reparar.

Mesmo assim, era dever cristão persistir na busca por se aproximar do modelo divino. Ora, esse modelo facilmente acomoda a figura de um homem que personificará o sábio governante, o rei, responsável junto a Deus pela boa condução e proteção dos súditos sob o seu governo.

Pode-se dizer que o modelo de hierarquia social prevalente na Idade Média, que distinguia os seres humanos entre nobres, religiosos e vassalos legitimava-se graças à interpretação hegemônica da religião cristã no período, que tinha na identificação do líder supremo com a figura de um Deus único um verdadeiro pilar.

Aos líderes religiosos, notadamente ao papa católico, cumpriria o papel de atestar que os líderes feudais locais, Suas Majestades, eram efetivamente representantes de Deus. Poder real e poder religioso eram duas faces da mesma moeda. E a força resultante da união desses dois poderes tornou a moeda muito forte e, consequentemente, muito estável – o que ajuda a entender por que esse modelo durou tantos séculos.

Mesmo tendo alcançado grande estabilidade, o próprio modelo engendrou e nutriu em seu ventre os vetores que culminariam por o conduzir à própria ruína.

A nova ordem, a burguesa, passa a se anunciar

Se com sua produção de víveres a atividade agrária do homem do campo era o que mantinha em grande medida a vida econômica e social dos reinos nos tempos feudais, ela não prescindia, evidentemente, das atividades que aos poucos foram se desenvolvendo nos agrupamentos, nas pequenas comunidades, conhecidas como burgos (que se constituíam via de regra nas proximidade dos palácios da fidalguia), que era onde se concentravam e desenvolviam suas atividades os artesãos, comerciantes e demais profissionais que compunham o que se convencionou chamar de burgueses.

Essa atividade comercial, com o crescente intercâmbio que demandava, ato contínuo motivou as grandes navegações e o surgimento das cidades, e assim se tornou decisiva para a derrocada do modelo medieval.

Para se desenvolver, a atividade comercial exige novos valores, que amiúde entram em conflito com aqueles que dão sustentação à hierarquia político-religiosa feudal. É o caso, por exemplo, da usura, uma atividade intrinsecamente conexa com a atividade comercial dos burgos, vista sob a ótica cristã vigente como pecado mortal.

Paralelamente ao desenvolvimento do comércio, da atividade monetária, próprias da vida urbana, as descobertas dos filósofos naturalistas – frequentemente membros da comunidade eclesiástica que, afinal, concentrava a atividade intelectual de então – representavam uma segunda força a abalar a visão de mundo que sustentava a organização social medieval.

Merecem aqui destaque os matemáticos e astrônomos, e dentre eles em especial Copérnico, cujos cálculos colocaram em xeque o modelo geocêntrico de organização do universo.

Abalado esse modelo, abalou-se também a crença de que a Terra era o centro das atenções do Deus supremo e a base da hierarquia de cujo topo esse Deus, soberano, tudo via e decidia.

O ser humano, que nesse modelo passa a se ver como "um bicho da Terra tão pequeno", viu-se ainda mais insignificante, ao descobrir que sequer habitava um lugar privilegiado do universo para o qual se voltaria a plena atenção divina. Ao contrário, percebeu que estava relegado a habitar um corpo celeste como qualquer outro, dentre os muitos que orbitavam uma estrela, que por sua vez era também só mais uma no universo infinito.

Nessa nova condição, foi natural que gradativamente os homens e mulheres da época passassem a se ocupar cada vez mais com a sua própria existência e com a sua segurança.

Por ser portador de más notícias, Copérnico, e não só ele, não foi muito bem recebido. Mas as novas descobertas e atividades sobrepujaram o velho modelo e, com elas, emergiu a exigência de encontrar uma nova maneira de organizar a vida social.

Os reis já não personificavam os sucedâneos de Deus na Terra. Por falhos que fossem os humanos, precisariam arquitetar por eles mesmos um modelo, que inclusive levasse em conta as falhas humanas, trazendo então os dispositivos para freá-las ou domesticá-las. É por essa época que começam a vicejar as teorias contratualistas.

O alvorecer dos ideais pactualistas

É importante manter em mente que esse processo não conduz ao fim da religião ou da religiosidade. Ele reflete apenas o abandono de um modo de ver e viver no mundo, de acordo com o qual esse mundo e as sociedades nele estavam inseridas em uma hierarquia comunitária universal que se reproduzia nas diferentes instâncias humanas e tinha no ápice um Deus único supremo que tudo via e provia.

Ao flagrar-se na periferia do universo, o ser humano foi deixando de se ver como o centro da atenção divina, ao mesmo tempo em que deixava de ver a comunidade onde vivia como um espelho da cidade de Deus.

Nesse cenário, o desafio foi organizar-se em sociedades, ainda observando as crenças cristãs, mas a partir unicamente do próprio labor. Reprisemos: o europeu da época não perdeu a crença em Deus, apenas viu mudar a concepção geral do que representava esse Deus.

Sem aquele Deus que presidia tudo por nós, precisaremos nos entender uns com os outros. Fez-se necessário pactuar uma organização social que assegurasse a cada um a segurança e as riquezas necessárias à sobrevivência. Para isso, precisou-se firmar um contrato social.

Naturalmente, os filósofos contratualistas que formularam essa ideia, não entendiam o contrato como um papel assinado ou reconhecido em cartório, até porque, para eles, já a validade do reconhecimento dos cartórios depende de uma prévia adesão ao *contrato social*.

O contrato social tematizado pelos contratualistas corresponde a um constructo teórico destinado a tornar inteligível e fundamentar a realidade que reconhecemos nas instituições sociais.

Está para essas instituições sociais como a lei de ação e reação está para os cálculos na física: assim como aqui essa lei funciona apenas como uma conjectura para facilitar nosso modo de abordar os choques entre corpos, que realmente verificamos, assim também a ideia de contrato social oferece um suporte para justificarmos a racionalidade de acatarmos as convenções sociais como efetivamente fazemos.

Já não é Deus que dispõe as pessoas em papéis sociais, mas somos nós que, ao nascer e sermos educados no seio de uma comunidade, vamos ao longo da vida assimilando um comportamento instituído, nesta medida aderindo ao pacto que expressa a condição abstrata para que sigamos aceitos como membros dessa comunidade.

Esse contrato abstrato se justifica e mantém porque, sem ele, estaríamos fadados cada qual a lutar sozinho por nossa sobrevivência e, frágeis como somos, estaríamos muito mais sujeitos às intempéries da natureza e aos ataques inclusive dos nossos próprios semelhantes.

Ao contrário do modelo hierárquico medieval, agora os homens se viam cada vez mais em igualdade de condições. Todos eram criaturas largadas à própria sorte na periferia do universo. A ideia de igualdade entre os seres humanos ganha relevância, ainda que apenas como pressuposto preliminar do contrato social, mesmo que venha depois sucumbir a este. Afinal, os seres humanos bem podem preferir restringir voluntariamente sua liberdade e igualdade se julgarem ser esse o preço a pagar a fim de assegurar sua segurança e sobrevivência.

É claro que os contratualistas aprofundaram a ideia de igualdade e, como em vários outros aspectos de suas teorias, divergiram uns dos outros. Para não nos perdermos nas particularidades de cada teoria, tomemos, a título de exemplo, a concepção de igualdade perfilhada pelo contratualista Thomas Hobbes.

Para Hobbes, a igualdade entre os humanos media-se por um critério preciso, a saber, a capacidade de destruir seu semelhante. Em seu *Leviatã*, Hobbes alega que eventuais diferenças físicas que tornam um indivíduo mais forte que outro são superadas pela capacidade dos humanos de se unirem, assim somando forças e ardis para neutralizar eventuais situações de desvantagem. Vem daí a marca "*o homem é o lobo do homem*" que amiúde se associa a Hobbes.

Se é no poder de matar-se uns aos outros que os humanos se igualam, é, correlativamente, o risco da morte violenta que os coloca a todos no mesmo barco. Será essencialmente este risco, portanto, que deverá ser eliminado com o pacto.

Eis o que ajuda a entender a razão pela qual, no pacto social, tal como Hobbes o entende, cada humano deverá renunciar ao uso de sua força contra o outro, delegando-a à instituição que daí se forma, o poder soberano constituído pelos pactuantes, único que poderá exercer com legitimidade a força sobre os pactuantes. O soberano, também chamado de leviatã na terminologia hobbesiana, embora seja habitualmente identificado à figura de um tirano, corresponde apenas à imagem de um poder construído graças a essa renúncia de cada um dos homens que pactuam e enquanto resultante ou confluência dos poderes individuais dos pactantes.

Trata-se apenas da imagem da ideia abstrata da soberania constituída dos contratantes. O exercício do poder nele materializado é, nesta medida, compatível com qualquer dos regimes.

Claro que quem renuncia ao uso da própria força, conferindo-a ao Soberano, o faz com o compromisso de que sua própria vida ficará assegurada pelo soberano. Dito de outro modo, a renúncia ao uso da própria força contra o outro tem como contrapartida a mesma renúncia por parte do outro. Ao soberano, por seu turno, competirá então zelar pela segurança de todos os pactuantes, o que significa aqui que a ele competirá zelar para que os pactuantes estejam ao abrigo da morte violenta. Nisso todos os pactuantes permanecem iguais após o contrato.

Vale destacar que Hobbes atua já um século ou um pouco mais depois da publicação de *O Príncipe*, de Maquiavel, obra que discutiu de uma maneira inovadora o papel do chefe de estado, invocando que, além de sorte, para bem exercer a função, ele depende da própria virtude. Mais à frente falaremos mais sobre esse personagem e essa importante obra.

Bem, retomando, restava então um elenco de diferenças entre os humanos, que precisarão ser acomodadas de sorte que todos permaneçam satisfeitos com o pacto. Afinal, se na organização da vida social, as diferenças entre os pactuantes forem tamanhas ao ponto de um ou uma parcela começar a duvidar da conveniência do pacto inicial e passar a ver com bons olhos o rompimento do pacto, o soberano se enfraquece. A força do poder soberano resultante do pacto é função direta, portanto, da conveniência, para todos os pactuantes, da manutenção do pacto. A organização social que se construirá com base na ideia de contrato social precisará, portanto, ser minimamente atraente a todos.

O lugar que cada qual ocupará deverá lhe parecer, se não o melhor, ao menos melhor do que seria sem o pacto, que os contratualistas habitualmente designavam por "estado de natureza". A cada pessoa deverá então ser garantida voz e vez, ao menos o quanto baste para que cada um continue considerando conveniente manter o pacto, isto é, renunciar ao uso de sua força, individualmente ou em grupo, contra os demais.

Esse cenário traz novamente à baila aquela desacreditada antiga democracia, que merecerá ser repensada doravante, quem sabe depurando-a dos vícios que Platão e seus contemporâneos denunciaram naquele modelo de exercício direto que marcou a democracia do seu tempo.

Paralelamente às conhecidas críticas à democracia direta, um fator complicador para o resgate da democracia tal como praticada nas cidades-Estado da Grécia antiga foi a complexidade e a extensão das sociedades europeias nesse ocaso da Idade Média, organizadas sob a autoridade dos feudos e reinos.

Tratava-se agora de pensar em um modelo calcado na representação, que a um só turno viabilizasse o exercício da administração de grandes extensões territoriais e contemplasse as diversas regiões e estratos da vida social.

Um segundo desafio era organizar o exercício do poder pelos representantes, a fim de evitar a concentração de poder, cujo abuso pusesse em risco a força do soberano.

Sob influência de Montesquieu começam então a florescer as reflexões sobre a divisão dos poderes e o sistema de freios e contrapesos, e a ideia de democracia moderna, em oposição à democracia antiga, que não era mais praticada há mais de mil anos.

Todo esse arcabouço teórico e o descontentamento popular foram o palco ideal para emersão dos Iluministas, que lutam por uma maior racionalidade da organização social em detrimento da religião e da superstição.

Paralelamente, outras linhas entendiam a racionalidade como dom de Deus aos homens. Uma vez dotados dessa racionalidade, caberia a eles usá-la da melhor forma, inclusive para a honra divina.

Por fim, tudo isso desemboca em um novo modo de organização social que faz surgir o Estado burguês que floresce irresistível, desbancando a aristocracia, na controversa Revolução Francesa do final do século XVIII, mas que prevalece nos nossos dias.

Bem, a Revolução Francesa começou desapeando do poder e guilhotinando os aristocratas, inclusive o rei e a rainha. No entanto, depois de um largo período de caça às bruxas conhecido como Terror, em que facilmente uma delação de que alguém traía a Revolução resultava em sentença de morte, numa reviravolta insuspeita, acabou decapitando seus líderes maiores, como o grande Danton e mesmo Robespierre, líder máximo de todo movimento.

Ainda que da instabilidade geral causada pela revolução, que incentivou a invasão do solo francês pelos vizinhos austríacos, resultasse a coroação de um militar, Napoleão, os ventos revolucionários e democráticos já haviam ganhado o mundo ocidental e tiveram influência direta tanto na formação das grandes nações, por meio da união dos pequenos reinos, quanto no movimento revolucionário mesmo, com destaque para a Guerra de Secessão, que acabou por culminar com a libertação dos escravos nos Estados Unidos.

Mas, mesmo com um novo monarca, a burguesia havia conquistado um lugar no poder e passava a enriquecer, e a combinação desses dois fatores a tornava central em qualquer decisão.

A classe alta de fidalgos cedia lugar à classe média, intermediária, dos burgueses no protagonismo da administração do estado. Com isso, como a revolução industrial se inicia na Inglaterra exatamente nos tempos da alta da Revolução Francesa, a classe mais baixa começa aos poucos a se organizar e a reivindicar direitos.

Foi nessa época que o parlamento Inglês se dividiu, posicionando à direita os parlamentares que defendiam o liberalismo que triunfara na Revolução, e à esquerda os parlamentares que entendiam que era necessário uma melhor distribuição da renda e o reconhecimento de direitos dos menos afortunados.

Nesse cenário emergiram primeiramente os ideais anarquistas, que preconizavam um Estado sem hierarquia e sem comando central, e na sequência e/ou concomitantemente os ideais socialistas e comunistas.

O pensador inescapável é sem dúvida Karl Marx, que por meio de um estudo da História encontrou chaves relativamente fixas que lhe permitiam antever alguns passos. Sua obra magna, *O Capital*, tem sido fonte inesgotável para os estudos até nossos dias.

A importância de Marx é incalculável, mesmo porque sem ele seria impensável a Revolução Russa de 1917, e sem ela a história do século 20 seria completamente outra. Se melhor ou pior fica a cargo das conjecturas.

A História mostra que o surgimento de novas mídias transforma a vida social. A título de exemplo, sem a invenção da imprensa no século XVI, a Revolução Francesa do do século XVIII não poderia ter acontecido como aconteceu, já que em grande parte se deveu ao que de incendiário Murat escrevia em seu jornal, o que lhe custou a vida, diga-se, ainda que por meio de um assassinato e não de uma sentença.

Assim, no século 20 surgiu o rádio. Uma mídia nova e, portanto, mal regulamentada. Nesse tipo de situação quem leva vantagem são os mais inescrupulosos. Toda a massa que não lia jornal, que achava que política não lhe dizia respeito passou a ouvir notícias o dia inteiro, entre elas muita notícia fake e muito discurso de convencimento. As condições para ascensão do fascismo na Europa estavam dadas.

O preço disso foi amargo. Além das muitas injustiças derivadas de etnias, ideologias, religiões e raças, culminou na Segunda Guerra Mundial, que matou algo como 60 milhões de pessoas.

Recentemente a ampliação das redes sociais e aplicativos de comunicação acabaram dominados por inescrupulosos que, por certo, e isso só a História vai comprovar ou não, foram responsáveis diretos pela desestabilização das nações árabes assim como a eleição de políticos temerários, como Trump e Bolsonaro, entre muitos outros.

Ao lado dos procedimentos legais, o conhecimento das estruturas estatais e políticas, pensamos, pode ser o fiel da balança para minimizar a força da desinformação espalhada por esses grupos de fundo antidemocrático, ligados à violência e ao retrocesso tanto nas conquistas quanto ao costume, como quanto aos direitos adquiridos pela massa trabalhadora e pela população mais vulnerável.

Nunca falar de política foi tão necessário. Vamos a ela, sempre!

II
Questões objetivas na política

Dois dedos de prosa pra começar

Como alertamos no início, as duas partes deste livro são bastante diferenciadas, a primeira mais teórica e a segunda mais pragmática.

Dado que parte do público pode se interessar por vir logo para a seção mais prática, iniciamos essa segunda metade também com alguma teoria, ainda que mínima e tratando os temas já abordados por vieses um pouco diferentes.

Recomendamos a leitura a todos, mas mormente àqueles que queiram participar mais ativamente da política, seja atuando nas redes, seja militando, seja se candidatando a cargos eletivos.

O que é Democracia?

A palavra *democracia* é formada a partir de duas raízes gregas, a raiz "Demos" que significa Povo, e a raiz "Katia" significa Poder ou Governo, a junção das duas, "Demos"+"Kratia" ganha o significado de poder ou governo do povo. Em tese o poder estaria nas mãos dos cidadãos, afinal essa seria a essência da Democracia, o poder sob tutela do povo, que o exerceria ou diretamente ou através de representantes.

Na Grécia Antiga a democracia foi implementada pela primeira vez por Clístenes. Mesmo quando ainda muito incipiente, já era acessível aos Cidadãos de Atenas. Depois Péricles acabou aprimorando a democracia ao buscar estabelecer normas e critérios que tinham por objetivo melhorar sua aplicabilidade na Polis, no caso, Atenas, que é reconhecida até hoje por historiadores e cientistas políticos como o berço da democracia ocidental.

Contudo, nem todas as Pólis Gregas eram democráticas, ou seja, não previam a participação direta do povo em relação às decisões públicas.

A Pólis de Esparta, por exemplo, ostentava como forma de Governo a Diarquia, na qual dois reis dividiam o poder. Em um curto período, por conta da Guerra do Peloponeso, Esparta e Atenas se uniram administrativa e politicamente, mas isso durou pouco.

A democracia em si praticada em Atenas, contudo, não era acessível a todos os cidadãos, já que para participar da vida pública/política só eram chamados os "cidadãos atenienses". E quem eram esses cidadãos?

A primeira condição é que fossem homens, ou seja, que pertencessem ao sexo masculino.

Mas apenas os homens maiores de idade e que não fossem escravos. Era necessário também ter nascido em Atenas e ser filhos de pai e mãe atenienses. Mesmo atendendo a essas condições, para usufruir do título de cidadão, deveriam ainda comprovar renda.

Como fica claro, mulheres, estrangeiros e escravos, por exemplo, não eram considerados cidadãos, portanto não poderiam participar ativamente das assembleias populares (as eclesiais).

Um fato importante que é preciso ressaltar em relação à democracia é que havia desde o seu florescimento a preocupação dos povos quanto à eficácia da mesma, que agia contra os atos que atentassem contra si.

Os primeiros democratas já tinham normas de punição contra os indivíduos que interferissem no processo democrático, que tentassem fraudar ou alterar a democracia de forma ilegal.

Os indivíduos denunciados eram presos e então encaminhados para um "julgamento" chamado de *processo de ostracismo*. Caso o indivíduo fosse condenado por interferir na democracia, ele seria expulso da cidade de Atenas por 10 anos, e teria seus bens penhorados pelo Estado.

Na Grécia a democracia era levada tão a sério, que até o próprio Péricles, responsável por aprimorá-la, chegou a ser julgado por "crimes contra a democracia", mesmo tendo sido inocentado no veredito.

Democracia Direta e Democracia Representativa

Democracia direta

Na *democracia direta*, os indivíduos comparecem nas assembleias, consultas populares e decisões importantes participando diretamente da vida política do país, estado ou cidades. Assim escolhem os rumos das "decisões políticas", através de suas escolhas. Assim era o modelo que vimos acima, o da Atenas do período clássico grego.

Na atualidade, em geral, se tem a aplicação da democracia direta apenas em momentos específicos e esporádicos. Praticamente em todos os lugares do mundo onde se tem a democracia hoje ela é representativa.

Uma exceção nesse sentido é a Suécia, que vale-se da consulta direta amiúde para decisões importantes como mudanças de leis, alterações na constituição, mas também para assuntos menos constitutivos, como o aumento de salários.

Democracia representativa

Nas *democracias representativas* como a do Brasil, os indivíduos exercem a sua participação democrática por meio da escolha de representantes. A própria Constituição Federal de 1988, no artigo

1º, Parágrafo único, diz expressamente: "Todo o poder emana do povo, que o exerce por meio de representantes eleitos ou diretamente, nos termos desta Constituição".

São raros os momentos em que a população no Brasil exerce a democracia direta. Acontece tão somente nos plebiscitos e referendos. As decisões que afetam o dia a dia e o cotidiano da população ficam nas mãos dos políticos, assim como decisões a respeito dos salários dos próprios políticos, benefícios sociais, salário dos trabalhadores, tudo isso é decidido por meio de votação de um pequeno grupo que compõe o parlamento Municipal, Estadual ou Federal.

Essa é a verdadeira razão para que se tenha a impressão que na democracia indireta a função do cidadão é meramente a de votar, que sua participação está restrita ao ato do voto. Mas trata-se de uma falsa impressão, pois há diversas maneiras do exercício da democracia por meio dos movimentos sociais, protestos, associações de minorias sociais e grupos de defesa dos vulneráveis, entre outros exemplos.

Em síntese, respondendo ao título acima, democracia é povo no poder, organizado em instituições, questionando o poder constituído e exigindo melhorias, lutando por direitos e participando direta e indiretamente dos atos que influenciam a vida da sociedade.

Nicolau Maquiavel – O Pai da Ciência Política Moderna

A segunda parte desse livro é dedicada ao aprofundamento das questões mais teóricas ligadas à política. Contudo, é bastante pertinente tratar de antemão de um pensador central que, fora os já citados gregos, teve influência direta no pensamento dos líderes do passado que construíram nosso presente.

Nascido em Florença, Itália, Niccolò di Bernardo dei Machiavelli, aqui conhecido como Nicolau Maquiavel, ou simplesmente Maquiavel, foi um personagem histórico extremamente importante para a política. Viveu e produziu sua filosofia entre os séculos XV e XVI, na sua Florença. É considerado o "Pai da Ciência Política Moderna", por sua percepção, influência e participação na política.

Dedicou-se à compreensão do Estado, da política e dos homens de Estado, de como eles são na realidade. Escreveu em oposição àqueles autores que formularam teorias sobre como deveria ser o Estado e seu governante ideal.

Maquiavel aconselhou alguns monarcas, desenvolveu teorias e ajudou a compreender como seria o "Líder de Estado Ideal", e também apresentou estratégias e métodos sobre como os homens de Estado deveriam comportar-se para obter maior proveito da realidade, no sentido de manter e expandir o seu poder.

Defendeu que o Homem de Estado deveria a um mesmo tempo ser amado, temido e respeitado. Alertava para o fato de que o governante deveria ter cuidado ao manter a relação de amor e ódio próximo, já que deveria até ser temido, mas jamais poderia ser odiado pelo seu povo.

Advogava que a receita para se relacionar bem com o povo não era tão complexa, já que os homens têm em si a vontade de serem governados e ou dominados por um líder. Que o homem teria em si o desejo pelo poder, logo seria falho e corruptível, e era essa predisposição à corrupção que explicava a relação entre governante e governados. E mais, o "príncipe" não precisava ser honesto, bondoso e correto; bastava aparentar ter estes atributos.

Defendia que para governar, o estadista teria de contar com dois fatores. O primeiro seria a virtude (virtu), ou seja, a firmeza de caráter, a inteligência, o estudo sério das questões, a sensibilidade necessária para escolher certo sua equipe de governo.

O segundo fator fundamental não dependia dele, era a sorte (fortuna). Ou seja, independentemente da virtude de um governante, há razões extras, como o fluxo da história, desastres naturais, doenças e outros fatores que podem escapar por completo de seu controle e acabar por lhe destruir, destituindo-o do poder que exerce.

Maquiavel foi tão importante para a história da política e da ciência política que seu livro *O Príncipe* é lido até hoje pelas maiores lideranças políticas. E vários desses políticos fazem valer algumas dessas sugestões de Maquiavel, em especial sobre a imagem que o político precisa passar para o povo, para o governado.

Não é o acaso que justifica o fato de que logo depois de passar a faixa presidencial a Lula, Fernando Henrique disse que rumaria para Paris, para se dedicar à leitura, e quando perguntado sobre qual obra iria ler primeiro, respondeu sem titubear: *O Príncipe*, de Maquiavel. Ou seja, tendo passado oito anos comandando uma das maiores nações do mundo, percebeu o quanto era importante a contribuição desse mestre.

A esse famoso florentino que é atribuída a frase "Os fins justificam os meios", que em tese seria uma explicação para justificar as ações do Governante. Maquiavel é um autor que produziu há cerca de 500 anos, e ainda hoje seus escritos e conselhos sobre política são absurdamente atuais.

A Teoria da Tripartição dos Poderes

A consciência da necessidade de dividir os poderes de um governante para que o poder não se concentre nas mãos de uma única autoridade aparece desde as primeiras democracias gregas. Afinal isso representa um risco, pois, com tantos poderes nas mãos de uma única pessoa, o Estado pode ficar à mercê dos caprichos pessoais dessa pessoa. Sem contar que se surgirem eventuais demências, sejam de origem orgânica ou psicológica, não haverá força para a deter.

Mesmo assim, como vimos na introdução, apesar de no período republicano de Roma (que durou aproximadamente os 500 anos que antecederam o nascimento de Cristo) ter havido o titubeante triunvirato, representado pelos três senadores que dividiam o poder central, durante a Idade Média inteira prevaleceu na Europa o absolutismo, não raro com sérias consequências para Estados e Nações. Com o florescimento da Renascença, novos ares e novas ideias foram ganhando espaço.

John Locke, tido por muitos como o pai do "Iluminismo", via como perigoso um monarca ter poderes absolutos e por isso pensava em uma maneira de dividir esse poder com outros representantes.

Para tanto Locke recorreu a Aristóteles, em cuja obra buscava encontrar uma solução para a divisão do poder. Contudo, essa divisão do poder só ocorreu efetivamente graça a Charles-Louis de Secondat, barão de La Brède e de Montesquieu, que influenciado pelo legado de Locke e Aristóteles, apresentou na sua obra *O Espírito das Leis* de 1748 a chamada "Teoria dos três poderes", sugerindo efetivamente a divisão dos poderes em executivo, legislativo e Judiciário.

Nenhum dos poderes seria mais ou menos importante, e deveriam se regular entre si, ou seja, o executivo fiscalizar o legislativo que fiscalizava o judiciário e assim circularmente.

O principal objetivo era, sem dúvida, reduzir o poder absoluto dos monarcas, mas Montesquieu não queria o fim da monarquia, desejava apenas que os monarcas tivessem seus poderes limitados por uma constituição e pela divisão do seu poder com outros poderes.

Devido à importância de sua contribuição, porém, a Montesquieu muita vez tem sido erradamente atribuídas outras iniciativas, como a inserção de outros grupos sociais, que não os nobres, na participação política. Mas esse não era necessariamente o objetivo dele, inclusive existem relatos que afirmam que Montesquieu era contra a participação do povo na política. Acreditava que isso poderia ser deletério para o processo político, já que só deveriam participar os indivíduos que em tese entendiam de política, pois acreditava que somente o poder regula o poder, algo que persiste nos dias de hoje.

O fato é que depois dele, aos poucos, as nações foram se transformando e se estruturando nos três poderes, a saber, Executivo, Legislativo e Judiciário.

Poder Executivo

O Poder Executivo é aquele que em tese executa as leis que são criadas pelo Poder Legislativo. Representa a administração do Estado. No Brasil, o Poder Executivo é representado no âmbito federal pela figura do Presidente da República. No âmbito estadual, o representante do Poder Executivo é o Governador. Enquanto o Prefeito é o representante do Executivo no âmbito municipal.

O Poder Executivo tem como responsabilidade a administração pública e a execução das medidas cabíveis para a administração do Estado. Tem a necessidade precípua de buscar conciliar os diferentes interesses políticos e sociais existentes entre os indivíduos, trabalhando em harmonia com os demais poderes, jamais os sobrepondo.

Poder Legislativo

Os representantes eleitos para ocupar cargos legislativos nas câmaras municipais (vereadores), nas assembleias estaduais (Deputados Estaduais), Câmara e Senado federais (Deputados Federais e Senadores), são os membros do chamado Poder Legislativo e cumprem a função de legislar em defesa dos diferentes grupos sociais que os elegeram.

Cumpre aos eleitos criar as leis que possam garantir os interesses dos grupos que os elegeram. Por conta disso, é no Poder Legislativo que ficam mais evidentes as diferentes ideologias e correntes políticas, já que além de criar leis que irão ajudar em tese a população, precisam representar a sua base ideológica eleitoral e até mesmo aqueles que não os elegeram, já que irão legislar para todos.

Os parlamentares, nome pelo qual são chamados os senadores e deputados federais, deputados estaduais e os vereadores, debatem e posicionam-se politicamente e ajudam na regulamentação e criação de leis, nas chamadas legislações em nível municipal, estadual e federal. Eles têm como objetivo deliberar sobre as leis e fiscalizar os outros poderes, com os quais devem coexistir de forma harmônica.

Poder Judiciário

O Poder Judiciário representa a Justiça e, em tese, seu papel é o de fiscalizar a correta aplicação das leis. Importa destacar que no Poder Judiciário, ao contrário dos outros poderes, seus representantes não são escolhidos por meio de eleições gerais. Seus membros normalmente são oriundos de concursos públicos e/ou nomeados a partir de um grupo de juízes magistrados.

Há, contudo, exceções, como nos casos dos STF e da PGR, para cujos cargos de Ministro do supremo ou Procurador Geral o Presidente pode fazer a indicação.

Na PGR existe uma lista tríplice criada pelos próprios membros do MPF, mesmo assim o Presidente não tem a obrigação de indicar o membro a partir da lista, pois não existe uma obrigatoriedade legal, apenas uma sugestão formal.

A magistratura depende da comprovação das capacidades de seus representantes que precisam comprovar notório saber jurídico, e formação na área para a ocupação dos diversos cargos por meio de uma série de pré-requisitos. Seus representantes são ministros dos tribunais, juízes, desembargadores, procuradores, etc. Para alguns cargos, como o de ministro do STF (Supremo Tribunal Federal), o representante indicado pelo Presidente da República precisará passar por uma sabatina no Senado para só então assumir o cargo.

Formas e Sistemas de Governo

A teoria sobre as formas e sistemas de governo oscilam, apresentam divergências e contradições de autor para autor. Neste livro a abordagem se dará a partir da interpretação de alguns pensadores da política, como Maquiavel, Montesquieu, Aristóteles e Norberto Bobbio.

No espírito da proposta, evitaremos nos aprofundar nessa teoria espinhosa, buscando uma abordagem mais básica, simples e direta. Vamos, contudo, abordar as formas e sistemas de governo mais comuns e ainda existentes no mundo.

O que seriam, afinal, formas e sistemas de Governo?

As formas seriam os tipos de governo e os sistemas seriam suas subclassificações.

São exemplos de formas de governo: Monarquia, Teocracia e República.

São exemplos de Sistemas de Governo, por exemplo, a Monarquia Constitucional, a Monarquia Constitucional Cerimonialista e a Monarquia Absolutista.

As formas e sistemas de governo são os mecanismos pelos quais as sociedades organizam as suas políticas e a administração pública. Algumas das variáveis dos chamados sistemas de governo existem da mesma maneira há mais de um século, outras foram se modificando com o passar do tempo. As formas de governo abordadas neste livro serão a Monarquia, Teocracia e a

República. Existem outras e recomendo mais pesquisa caso você se interesse pelo tema e queira aprofundá-lo.

Monarquia

É a forma de governo em que um monarca - rei, rainha, imperador ou imperatriz, são os chefes de Estado. Esta forma de governo é encontrada em diversos países da Europa, como na Inglaterra e em Mônaco, por exemplo. Dentro da monarquia podemos encontrar três tipos de sistemas de governo: Monarquia constitucional, monarquia constitucional cerimonialista e a monarquia absolutista.

Constitucional: Os monarcas têm o Poder Executivo, mas ele é limitado por uma constituição. Como exemplo podemos citar Mônaco e Jordânia.

Constitucional Cerimonialista: O Monarca é o Chefe de Estado Cerimonial e o Chefe do Executivo é o Primeiro Ministro, que é um Parlamentar escolhido pelo Legislativo/congresso. Como exemplo podemos citar o Japão e a Inglaterra.

Absolutista: Neste sistema de governo, o Monarca é, ao mesmo tempo, o Chefe de Estado e de Governo. Como exemplo hoje, podemos citar a Arábia Saudita.

Teocracia

Na forma de governo teocrático, o líder religioso é o mesmo que chefia o Estado. A palavra "Teocracia" tem origem no grego, em que a palavra Teo, significa Deus, e Kratia, significa poder ou governo. Em linhas gerais, seu significado seria um governo divino, ou um governo de Deus.

Em alguns períodos da história foi muito comum este tipo de governo, um bom exemplo seria o Egito antigo, onde os faraós eram líderes teocratas.

Atualmente existem algumas nações consideradas teocráticas, são os casos do Vaticano, em que o Papa é a liderança religiosa e o chefe de estado, e o outro exemplo é o Irã, onde o Aiatolá tem as mesmas funções.

Apesar de ainda existirem Estados teocráticos, esta forma de governo não é muito comum atualmente e, como foi dito inicialmente, nosso foco será compreender a política de forma simples e direta.

Há, hoje, poucos estados teocráticos, ou seja, liderados por monarcas ou lideranças religiosas, não havendo no mundo nada que se equipare à monarquia exercida no Egito antigo.

República

A palavra república tem sua origem no latim, *Res publica*, onde *Res* significaria Coisa e *Publica*, significaria popular e ou do povo. Inclusive é muito comum vermos os políticos se referindo à gestão da "coisa pública".

Essa origem remonta à Roma antiga, no processo de substituição da monarquia que existia desde que Rômulo, um dos fundadores de Roma, ascendeu ao cargo de Rei de Roma.

Quando os patrícios romanos, que formavam a classe social mais privilegiada, sentiram seu poder ameaçado, derrubaram o então rei Tarquínio, o Soberbo, sob alegação que seu filho havia estuprado Lucrécia, que a posteridade cantou em versos os mais sublimes.

Em seguida convenceram a população de Roma de que a República era a melhor coisa para o povo já que em teoria seria mais fácil de fiscalizar, e até mesmo a população formada por plebeus acabaria participando efetivamente da República por meio do chamado tribuno da Plebe.

A organização das repúblicas contemporâneas foi influenciada pela República romana. Em Roma já existia o senado e as assembleias e os magistrados, que por sua vez tinham funções administrativas e de criação de leis junto com o Senado.

Atualmente a maior parte dos países tem como forma de governo a República. O Brasil, o México, a França e os Estados Unidos são alguns exemplos de repúblicas.

Na república há em princípio três sistemas de governo: o Parlamentarismo, o Semipresidencialismo e o Presidencialismo.

República parlamentarista

No Parlamentarismo, o chefe do governo estaria condicionado ao legislativo, sendo assim o partido que obtiver a maioria indica o Chefe do governo. Se a maioria no parlamento muda de lado, tende a ocorrer, ato contínuo, a mudança do chefe do governo.

No parlamentarismo, o chefe de Governo é o Líder do Parlamento, que por sua vez é indicado pela maioria dos seus pares. Porém, o chefe de Estado, que é um Presidente simbólico que representa o Estado em alguns eventos, como congressos internacionais, assinatura de acordos, etc.

Nesse sistema, a depender do país, o chefe de Estado pode ser escolhido pelo voto direto ou pelo parlamento. Na Islândia, por exemplo, o chefe de Estado é eleito pelo povo, enquanto na Alemanha o chefe de estado é eleito em uma reunião que envolve os parlamentos Federal e Estaduais. Na França o Presidente é eleito pelo voto popular e, quando assume, escolhe um ministro.

No parlamentarismo, recapitulando, o chefe do Poder Executivo é o primeiro-ministro, que é escolhido pelos membros do Poder Legislativo. No entanto, quem elege o parlamento são os cidadãos.

República presidencialista

No sistema de governo do Presidencialismo, o presidente é, ao mesmo tempo, chefe do governo e chefe do Estado. O que isso quer dizer? No Presidencialismo, o Presidente, que é o chefe de governo, escolhe os ministros e outros membros para a composição do seu governo, além de determinar como vai ser sua gestão e quais pautas seguir.

Como o Presidente também é o chefe de Estado, ele representa seu Estado/País em eventos internacionais importantes e cúpulas, assina acordos e tratados com outras nações que entenda que vão beneficiar sua pátria.

Dois exemplos de República Presidencialista são o Brasil e os Estados Unidos da América.

República Semipresidencialista

No sistema de governo Semipresidencialista, as funções do poder executivo são dividas entre o Presidente e o Primeiro ministro, e a escolha de ambos pode mudar de país para país.

Em alguns países ambos serão eleitos pelo povo, em outros o parlamento escolhe o Primeiro Ministro e o voto popular escolhe o presidente, e ainda em outros ocorre o contrário.

Notórios exemplos de países semi-presidencialistas são França e Portugal, pois são países que têm um Presidente e um Primeiro Ministro dividindo funções.

Partidos e Políticos

O que é um partido político?

Segundo o TSE, o Brasil tem 33 partidos registrados e homologados, e outros 78 estão em processo de registro e homologação. Os textos que seguem são basicamente excertos extraídos de textos publicados pelos tribunais constituídos.

Partido político pode ser definido como uma entidade formada pela livre associação de pessoas, com uma ideologia em comum, cujas finalidades envolvem assegurar, no interesse do regime democrático, a autenticidade do sistema representativo e defender os direitos humanos fundamentais.

Cada filiado encontra-se ligado a outro por princípios filosóficos, sociais e doutrinários, os quais promete respeitar, constituindo esses pressupostos a lealdade partidária.

A definição dada pela Lei dos Partidos Políticos é a seguinte: "Partido político, pessoa jurídica de direito privado, destina-se a assegurar, no interesse do regime democrático, a autenticidade do sistema representativo e a defender os direitos fundamentais definidos na Constituição Federal" (art. 1º da Lei nº 9.096/1995).

Como é formado um partido político?

O requerimento de registro de partido político deve ter a assinatura de, no mínimo, 101 fundadores com domicílio eleitoral em no mínimo 1/3 dos estados, todos residentes no Brasil e gozando de plenos direitos políticos. Com toda a documentação, o requerimento é encaminhado ao cartório de registro das pessoas jurídicas em Brasília. Assim, o partido político adquire personalidade jurídica.

Com a certidão de inteiro teor do cartório de registro, o partido deve providenciar:

- a comprovação do apoiamento mínimo;
- a constituição definitiva de seus órgãos regionais e municipais em, pelo menos, nove estados;
- a designação dos seus dirigentes.

O próximo passo é a direção nacional do partido entrar com o pedido de registro do estatuto no Tribunal Superior Eleitoral, com toda a documentação necessária:

- exemplar autenticado do programa e do estatuto partidários, inscritos no registro civil;
- certidão do registro civil da pessoa jurídica;
- certidões dos cartórios eleitorais que comprovem o apoio mínimo de eleitores dado ao partido. [Que atualmente, em 2020, seria de aproximadamente 492 mil assinaturas, em pelo menos 1/3 dos Estados, ou seja, 9 Estados e ao menos 0,1% do eleitorado de cada Estado].

Se tudo estiver correto, o TSE registrará o estatuto do partido, concluindo o processo de criação do partido político (arts. 8º e 9º da Lei nº 9.096/1995).

Somente o partido que tenha registrado seu estatuto no TSE pode participar do processo eleitoral, receber recursos do fundo partidário e ter acesso gratuito ao rádio e à televisão (art. 7º, § 2º, da Lei nº 9.096/1995).

Quem pode ser político no Brasil?

No Brasil, para ser político não basta apenas o interesse, alguns critérios precisam ser preenchidos, ou seja, além da vontade de ser político é necessário também ter capacidade política plena (direitos políticos) e desde a implementação da lei da ficha limpa é necessário ser ficha limpa, ou seja, não ter condenações no âmbito jurídico em ações que sejam estabelecidas na lei, para concorrer aos cargos. Recomendo a leitura da lei 135/10 para saber mais sobre a lei da ficha limpa.

Os requisitos iniciais para ingressar na carreira política são:

- Ser brasileiro(a) nato(a) ou naturalizado(a);
- Estar em pleno exercício dos direitos políticos;
- Não incidir em inelegibilidade.

As condições de elegibilidade, na forma da lei, são:

- a nacionalidade brasileira;
- o pleno exercício dos direitos políticos;
- o domicílio eleitoral na circunscrição;
- o alistamento eleitoral;
- filiação partidária;
- idade compatível com o cargo pretendido.

Qual a idade mínima de cada cargo?

a) Trinta e cinco anos para presidente e vice-presidente da República e senador;
b) Trinta anos para governador e vice-governador de estado e do Distrito Federal;
c) Vinte e um anos para deputado federal, deputado estadual ou distrital, prefeito, vice-prefeito e juiz de paz);
d) Dezoito anos para vereador.

Estrangeiro pode ser político no Brasil?

O artigo 12 da Constituição Federal, promulgada em 1988, estabelece os cargos que só podem ser ocupados por brasileiros natos, ou seja, que não podem ser ocupados por estrangeiros, mesmo que já naturalizados.

§ 3º São privativos de brasileiro nato os cargos:

I - de Presidente e Vice-Presidente da República;
II - de Presidente da Câmara dos Deputados;
III - de Presidente do Senado Federal;
IV - de Ministro do Supremo Tribunal Federal;
V - da carreira diplomática;
VI - de oficial das Forças Armadas;
VII - de Ministro de Estado da Defesa.

Sobre esse tema existe uma polêmica que envolve o Atual presidente da Câmara dos Deputados Federais, porque o atual presidente, Rodrigo Maia, nasceu no Chile, o que em tese o impediria de ser Presidente da Câmara. Trata-se de uma falsa polêmica, pois o Artigo 12 da Constituição Federal exibe em seu artigo I as condições para que um indivíduo possa ser considerado um brasileiro nato.

Art. 12. São brasileiros:

I - natos:
   a) os nascidos na República Federativa do Brasil, ainda que de pais estrangeiros, desde que estes não estejam a serviço de seu país;
   b) os nascidos no estrangeiro, de pai brasileiro ou de mãe brasileira, desde que qualquer deles esteja a serviço da República Federativa do Brasil;
   c) os nascidos no estrangeiro, de pai brasileiro ou de mãe brasileira, desde que venham a residir na República Federativa do Brasil e optem, em qualquer tempo, pela nacionalidade brasileira;

Rodrigo Maia se encaixa no inciso I, letra C, alterado em 1994, que dizia o seguinte "c) os nascidos no estrangeiro, de pai brasileiro ou mãe brasileira, desde que sejam registrados em repartição brasileira competente, ou venham a residir na República Federativa do Brasil antes da maioridade e, alcançada esta, optem em qualquer tempo pela nacionalidade brasileira".

Rodrigo Maia foi registrado em repartição brasileira no estrangeiro. César Maia, pai de Rodrigo Maia, foi exilado no Chile, local de nascimento do Rodrigo Maia, mas, como cumpriu o requisito, sim, Rodrigo Maia é brasileiro nato, portanto pode concorrer e/ou ocupar qualquer dos cargos políticos do nosso país.

Quem pode votar no Brasil?

No Brasil qualquer brasileiro que atenda às prescrições exigidas pela lei pode votar a partir dos 16 anos de idade, lembrando que o voto é facultativo para brasileiros que tenham entre 16 e 18 anos de idade, ou tenham acima dos 70 anos.

Para todos os analfabetos é também facultado o direito de votar ou não.

O voto é obrigatório, portanto, para todo cidadão, nato ou naturalizado, alfabetizado, com idade entre 18 e 70 anos.

Estrangeiros podem votar no Brasil?

Somente os naturalizados podem votar, salvo algumas exceções e acordos, como alguns existentes entre Brasil e Portugal.

Para se naturalizar geralmente é necessário que o estrangeiro esteja residindo no Brasil por 15 anos ininterruptos, salvo exceções para estrangeiros vindos de países lusófonos, ou seja, países em que a língua oficial seja a língua portuguesa. Para estas pessoas a exigência de residência ininterrupta cai para um ano.

Quem não pode votar no Brasil?

Quem estiver com o título cancelado por não ter justificado ausência em três eleições consecutivas. No caso das ausências, cada turno de um pleito é considerado como uma eleição isolada.

Quem perdeu o prazo para justificação e não pagou a multa pela irregularidade.

Cidadãos que estão com os direitos políticos suspensos.

Quem não participou da revisão biométrica obrigatória no município em que vota.

Aqueles que não tiraram o título de eleitor até o dia 9 de maio nem regularizaram sua situação perante a Justiça Eleitoral.

Sistemas Eleitorais

Atualmente no Brasil o processo eleitoral acontece de 2 em 2 anos, sendo um pleito das eleições para eleições municipais e o outro para eleições estaduais e nacional.

Segundo a Constituição Federal, em seu artigo 77, a eleição no Brasil ocorrerá sempre no primeiro domingo de outubro e, em ocorrendo segundo turno, esse será sempre no último domingo de outubro.

Dito isto, os sistemas eleitorais mais conhecidos no mundo hoje são os sistemas majoritário, proporcional e misto. Existem variações desses sistemas ao redor do mundo.

No Brasil se tem o sistema majoritário e o proporcional.

Embora casualmente surjam discussões no Congresso sobre alteração ou manutenção dos sistemas eleitorais, focaremos aqui o sistema majoritário e proporcional, que são os sistemas que existem no Brasil.

No sistema majoritário é eleito o candidato que recebe mais votos de forma simples, relativa ou absoluta.

No sistema proporcional elege-se o candidato que receber mais votos proporcionalmente, levando em consideração o quociente eleitoral e quociente partidário.

Tratam-se de condicionantes expressas na Constituição Federal de 1988, pelo Código Eleitoral ante a Lei 4.737 de 1965, e também reguladas pelo Tribunal Superior Eleitoral (TSE).

Sistema Majoritário

No sistema majoritário, são eleitos os seguintes candidatos: Presidente da República, Governador de estado e do Distrito Federal, Senador e Prefeito. Será eleito o candidato que obtiver a maioria dos votos.

De acordo com o TRE de Santa Catarina (TRE-SC), a maioria pode ser simples ou relativa, na qual é eleito o candidato que obtiver o maior número de votos válidos.

Temos, contudo, a maioria absoluta, em que é eleito aquele que obtiver 50% + 1 dos votos apurados, excluindo os votos em branco e os nulos.

A exigência de maioria absoluta visa dar maior representatividade ao eleito, ocorrendo nas eleições para Presidente da República, governador de estado e do Distrito Federal e prefeito de município com mais de 200 mil eleitores.

Nessas hipóteses, caso o candidato com maior número de votos não obtenha a maioria absoluta, deverá ser realizado um segundo turno entre os dois candidatos mais votados, em razão do disposto nos artigos 29, inciso II, e 77 da Constituição Federal.

No Brasil só acontece segundo turno para os cargos do executivo e em eleições consideradas majoritárias absolutas. Importa lembrar que no caso dos prefeitos, que são representantes do executivo em nível municipal, só ocorrerá 2º turno se o número de eleitores no município for superior a 200 mil, caso contrário o prefeito será eleito através do voto majoritário simples ou relativo, nesse caso bastaria apenas ter a maioria simples dos votos.

No caso de Presidente da República e Governadores, o candidato eleito precisa alcançar 50% + 1 dos votos sempre, ou seja, maioria absoluta.

Sistema Proporcional

O sistema proporcional é utilizado para a eleição de candidatos a deputados estaduais, distritais, federais e vereadores.

Mesmo que a partir das eleições de 2020 já estivessem vetadas as coligações para a eleição proporcional, mostraremos também com as coligações para que se entenda como foram eleitos os atuais e antigos ocupantes dos cargos legislativos.

Para eleição proporcional é adotado o sistema de lista aberta. Os votos computados são os de cada partido ou coligação e, em uma segunda etapa, os de cada candidato.

Para conhecer os vencedores deve-se, antes, saber quais foram os partidos políticos vitoriosos para, depois, dentro de cada agremiação partidária que conseguiu um número mínimo de votos, observar quais são os candidatos mais votados. Encontrar-se-ão então, os eleitos.

Para se chegar ao resultado final, aplicam-se os chamados *quociente eleitoral* e *quociente partidário*.

O quociente eleitoral é definido por meio da divisão da soma do número de votos válidos pelo número de cadeiras em disputa. Apenas partidos [até aqui valiam também as coligações] que atingem o quociente eleitoral têm direito a alguma vaga.

Isso significa que o partido que estiver concorrendo em uma eleição com dez vagas deve obter pelo menos dez por cento dos votos. Se forem vinte vagas, cinco por cento, valendo sempre essa lógica. Contudo, a eleição dependerá também do quociente partidário, calculado depois.

O quociente partidário se obtém dividindo-se o número de votos válidos do partido pelo quociente eleitoral, obtendo assim o número de cadeiras que o partido ou a coligação obtiveram.

Havendo sobra de vagas, divide-se o número de votos válidos do partido, conforme o caso, pelo número de lugares obtidos mais um. O partido que alcançar o maior resultado assume a(s) cadeira(s) restante(s).

Depois dessas etapas, verifica-se quais são os mais votados dentro de cada partido.

A imagem a seguir visa elucidar de forma mais clara o cálculo:

COMO CALCULAR O QUOCIENTE ELEITORAL E O QUOCIENTE PARTIDÁRIO

$$\text{QUOCIENTE ELEITORAL (QE)} = \frac{\text{números de votos válidos}}{\text{números de vagas no parlamento}}$$

$$\text{QUOCIENTE PARTIDÁRIO (QP)} = \frac{\text{números de votos válidos do partido ou coligação}}{\text{quociente eleitoral}}$$

Na imagem abaixo podemos ver um exemplo prático através da eleição do Enéas em 2002 para o cargo de Deputado Federal.

Em 2002 São Paulo teve 19.950.000 votos para 70 vagas, o que dá um **QE** de **285.000**.

O Prona conquistou 5 vagas na Câmara porque a legenda teve cerca de **1.575.000** votos válidos.

1 573 112
votos de Eneas Carneiro

+

1 888
votos de outros candidatos

QE DE SÃO PAULO EM 2002 $\dfrac{19\,950\,000 \text{ votos válidos}}{70 \text{ vagas}}$ = **285 000**

QP DO PRONA EM 2002 $\dfrac{1\,575\,000 \text{ votos válidos para candidatos do Prona 2002}}{285\,000 \text{ Quociente Eleitoral de São Paulo em 2002}}$ = **5 VAGAS**

Vejamos que nesse caso um único candidato conseguiu votos para que seu partido ocupasse 5 cadeiras. Com suas cinco cadeiras acabou obtendo, inclusive, um lugar à mesa da Câmara, algo normalmente reservado a partidos mais expressivos.

Em 2020, contudo, entra em vigor já para as eleições municipais a EC 97/17, que proíbe, como falamos acima, a formação de coligação entre candidatos de partidos diferentes no sistema proporcional.

Há uma novidade importante: só serão eleitos os candidatos que além de pertencerem a um partido que tenha alcançado o quociente eleitoral, ele, o candidato, tenha alcançado sozinho (sem contar com os votos dos demais candidatos do mesmo partido) um número de votos igual ou superior a 10% do total de votos equivalente a um quociente eleitoral da eleição que estiver disputando.

Como exemplo imaginemos uma eleição com cem mil votos válidos para dez vagas. Um quociente eleitoral será, portanto, de dez mil votos. Nesse caso, mesmo que o partido tenha obtido dez mil votos ou mais, só poderá assumir uma vaga se um candidato obtiver pelo menos um mil votos, ou seja, 10% do quociente eleitoral em questão. Essa regra visa impedir que partidos lancem um número grande de candidatos inexpressivos, mas que na soma acabem elegendo um destes.

Voto na Legenda e Voto Nominal

No voto de legenda o eleitor não vota diretamente no candidato, vota na legenda partidária. Por exemplo, para votar em um vereador do Partido DEM 25, você só precisa digitar o número 25, que é o número da legenda do DEM e confirmar. Se for votar em um candidato a Deputado Federal do PT 13, você só precisa colocar o 13 e confirmar, e o voto vai para a legenda do partido, e então os votos ficarão disponíveis para a divisão dentro do partido.

No voto nominal você precisa digitar o número completo referente ao candidato que você quer escolher. Para vereador são 5 números, então você, por exemplo, teria de digitar 12345 e confirmar.

Eleições municipais

Nas eleições municipais os eleitores escolhem o representante do Executivo (Prefeito) e os representantes do Legislativo (Vereadores).

As eleições municipais ocorrem a cada 4 anos e prefeitos e vices só podem ocupar os respectivos cargos por duas eleições seguidas. Essa mesma regra se aplica aos governadores e vices em nível estadual e aos Presidentes e vices em nível Federal. Para vagas no legislativo, as eleições podem ocorrer ininterruptamente. Isso vale para todos os âmbitos, municipal, estadual e federal.

Eleições Estaduais e Nacional

Ocorrem no mesmo pleito as eleições para Presidente da República, Governadores, Senadores, Deputados Federais, Deputados Estaduais e Deputados distritais no caso do DF.

Em Nível Estadual serão eleitos Governadores e vice-governadores em 26 Estados mais o Distrito Federal, Deputados Estaduais e no DF será eleito o deputado distrital e Deputados Federais em todos os Estados e DF.

Senadores da República terão mandatos de 8 anos, sendo o único cargo do legislativo com essa duração, e as eleições serão a cada 4 anos. Em uma eleição serão escolhidos dois senadores e em outra será escolhida 1 senador por unidade federativa.

No Congresso existe um legislativo Bicameral, já que existe a Câmara dos Deputados e o Senado Federal, são 513 vagas para Deputados Federais e 81 para Senadores.

Cada estado brasileiro, por regra, pode eleger no mínimo 8 deputados federais, como acontece no DF, e no máximo 70, como é o caso de São Paulo.

Já para Senadores são três para cada Estado da Federação e o Distrito Federal, formando 81 parlamentares. É uma regra que vale independentemente do tamanho da Unidade da Federação. Todos terão no mínimo três Senadores.

Uma palavra mais

Com essas considerações sucintas e objetivas, nas mais das vezes apoiadas diretamente nas leis, esperamos ter dado um contexto mais geral o necessário para que os interessados, de posse do essencial sobre o todo, possam pesquisar para aprofundar assuntos específicos, que fugiram ao escopo dessa iniciativa.

Como disse o Henry Bugalho no generoso prefácio que escreveu, o nosso desconhecimento é a arma mais mortal de nosso inimigo, mas munidos da empatia que é inata dos progressistas, mais as informações e espírito coletivo de luta, é que conseguiremos ver reflorescer a democracia plena.

Só com ela as instituições voltarão a ser fortes e o interesse dos mais necessitados serão atendidos.

Como bem dizia nosso saudoso Darcy Ribeiro, tantas vezes repetido pelo ex-presidente Lula, não é aceitável que num país rico como o nosso haja tantos cidadãos que sequer consigam fazer três refeições por dia.

As condições materiais podem ser o fim máximo, mas o meio para chegarmos a elas, não se duvide, é a educação, a cultura e o conhecimento.

Se você chegou até aqui é porque você é um dos soldados com os quais a democracia poderá contar. E eu quero te parabenizar por isso.

pólen bold 90 gr/m2
tipologia cambria
impresso no outono de 2020